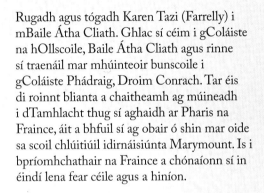

Rugadh agus tógadh Karen Tazi (Farrelly) i mBaile Átha Cliath. Ghlac sí céim i gColáiste na hOllscoile, Baile Átha Cliath agus rinne sí traenáil mar mhúinteoir bunscoile i gColáiste Phádraig, Droim Conrach. Tar éis di roinnt blianta a chaitheamh ag múineadh i dTamhlacht thug sí aghaidh ar Pharis na Fraince, áit a bhfuil sí ag obair ó shin mar oide sa scoil chlúitiúil idirnáisiúnta Marymount. Is i bpríomhchathair na Fraince a chónaíonn sí in éindí lena fear céile agus a hiníon.

D'ainneoin í a bheith lonnaithe sa Fhrainc, caitheann Karen oiread ama agus is féidir in Éirinn. Tá sí paiseanta faoin léitheoireacht agus faoin bpéintéireacht agus, le blianta beaga anuas, thug sí faoi an Mandarin Sínis a fhoghlaim. Ar na saothair léi atá foilsithe cheana tá *Ar Thóir na Cailíse, Cogarnach ar an bhFeirm* agus *Bliain sa Fhrainc*.

Na Clocha Síneacha

Karen Tazi

i gcomhar le Ré Ó Laighléis

MÓINÍN

An Chéad Chló 2009, MÓINÍN
Loch Reasca, Baile Uí Bheacháin,
Co. an Chláir, Éire.
Fón / Facs (065) 707 7256
Ríomhphost: moinin@eircom.net
Idirlíon: www.moinin.ie

Is mian leis an údar buíochas ar leith a ghlacadh
le Wenhui Qi as a shaineolas callagrafaíochta i
leith an tsaothair seo.

Tá MÓINÍN buíoch de
Fhoras na Gaeilge
as tacaíocht airgeadais
a chur ar fáil.

Foras na Gaeilge

Tá taifead catalóige i leith an leabhair seo ar fáil
i Leabharlann Náisiúnta na hÉireann agus i
leabharlanna éagsúla de Ollscoil na hÉireann.

Tá taifead catalóige CIP i leith an leabhair seo ar
fáil i Leabharlann na Breataine.

ISBN 978-0-9554079-7-0

Dearadh Téacs agus Léaráidí le Link Associates

Dearadh Clúdaigh, bunaithe ar léaráid de chuid
Karen Tazi, le Link Associates

Arna phriontáil agus cheangal ag Clódóirí Lurgan,
Indreabhán, Co. na Gaillimhe

Rinneadh athchur cúiteach ar aon chrann a
úsáideadh i ndéanamh an leabhair seo.

Na Clocha Síneacha

An tSín. Oíche Fhéile na Gealaí. Titeann súile Niuniu ar eitilt fhéileacáin na hoíche. Líonn sí grabhróga an chíste ghealaí dá liopaí agus féachann ar an bhfeithide ag ealaín le lasair an choinnill. Siar 's aniar, isteach 's amach a eitlíonn an créatúirín. Tá seanathair Niuniu ag insint scéalta di faoi Fhéile na Gealaí. Daideo agus Niuniu, Niuniu agus Daideo. Insint agus éisteacht, éisteacht agus insint. Agus titeann a codladh go mall trom ar Niuniu…

Ar maidin, tagann Daideo agus dúisíonn sé Niuniu.
Deireann sé léi roinnt éadaí a chur isteach i mála.

"Táimid ag dul ar thuras," ar sé.

Is aoibhinn le Niuniu é nuair a dhéanann Daideo rud
mar sin, gan choinne. Breathnaíonn sí i dtreo na spéire, áit
a raibh an ghealach san oíche aréir. Tá stríocaí liatha agus
bándearga sa spéir anois – iad ag fógairt bhreacadh an lae.

"Fágaimis seo," arsa Daideo. Agus fágann.

Trasnaíonn siad an droichead dronnach agus téann
i dtreo an bháidín bhig bhuí. Eitlíonn corr mhóna os a
gcionn agus déanann sé grágaíl na maidine leo. Beidh an
t-éan mar threoraí acu ar an turas, b'fhéidir. Turas ar an
abhainn sa bháidín beag buí.

Tá smaoineamh álainn ag Daideo i dtaobh an éin seo. Dar leis, tá spiorad Mhamó go sábháilte faoi chlúid sna sciatháin ag an gcorr mhóna. Mamó, sea! Sciob an bás ón saol seo í tamall beag de bhlianta ó shin. Ar Oíche Fhéile na Gealaí a tharla sin chomh maith. Mamó faoi chlúid sna sciatháin! Meas tú? Sea, is maith le Daideo an smaoineamh sin, ceart go leor. Ach gan ann ach smaoineamh, b'fhéidir.

Gluaiseann siad leo sa bháidín beag buí ar feadh roinnt uaireanta an chloig. Tar éis tamaill, tagann ocras mór ar Niuniu. Anois tá brón uirthi nár thóg sí léi cístí gealaí na hoíche aréir. Déanann Daideo slat iascaigh simplí agus tosaíonn sé ag iascach. Ach imíonn leathuair an chloig … imíonn uair an chloig … agus fós níl puth d'iasc acu. Tá Niuniu míshásta. Tá Niuniu cantalach. Tá Niuniu mífhoighneach.

"Am agus foighne a dhéanann gúna geal síoda den duilleog mhaoildearg," arsa Daideo.

Imíonn uair an chloig eile agus tosaíonn Niuniu ar chanrán.

"Is léir nach bhfuil aon iasc san abhainn inniu, a Dhaideo," arsa Niuniu. "Is léir, freisin, nach bhfuil aon ghúna síoda ann ach oiread," ar sí.

"Gach seans go bhfuil an ceart agat, a Niuniu, a stór," arsa Daideo. "Ró-amplach atá na hiascairí le tamall anuas. Tá an iomarca iasc á bhaint as aibhneacha na Síne. Seans nach bhfaighimid aon iasc ar chor ar bith inniu."

Déanann Daideo a dhícheall chun Niuniu a shásamh. Réitíonn sé babhla den rís fhiáin sa bhád di agus itheann sí go hamplach. Tá sí buíoch de Dhaideo as sin. Ach aontaíonn siad beirt gur deise i bhfad í feoil bhreá bhog an bhric ná babhla ríse.

Leis sin, síneann an seanfhear a dheasóg síos síos san uisce agus ardaíonn sé cloch mhín de bhun na habhann. Triomaíonn sé an chloch. Ansin rianaíonn sé an comhartha 'iasc' ar an gcloch le láib na habhann. Leanann súile Niuniu méara roicneacha an tseanfhir agus é ag déanamh an chomhartha. Ansin, déanann sí iarracht comhartha an éisc a chur ina cuimhne.

An chuid eile den lá sin rámhaíonn an bheirt leo nó go dtiteann an clapsholas. Tagann siad go háit arbh ansa le Daideo agus é ina bhuachaill. Tá súil aige foraois mhór a fheiceáil, mar a bhí nuair a bhí sé óg. Ach tá mearbhall ar an seanfhear bocht lena bhfeiceann sé roimhe. Bhí geallta aige do Niuniu go ndéanfaidís codladh faoi bhrat na gcrann ar chéad oíche seo an turais. Tá aistear fada curtha díobh acu agus tá fonn ar Niuniu a cloigeann a chur síos. Fonn uirthi ligean do chumhrán úr na gcrann giúise í a shuaimhniú chun codlata.

Ní fada go dtuigeann siad nach ann don fhoraois bhreá níos mó. Sea, go deimhin, is léir nach bhfuil ann anois ach fásach. Tá beagnach gach aon cheann de na crainn mhaorga bainte. Gan fágtha díobh ach na stumpaí. Tá brón orthu beirt. Díomá mhór orthu beirt. Tá croí Niuniu á líonadh le héadóchas. Í in ísle brí cheana féin toisc nach raibh aon iasc fágtha san abhainn. Ach anois, is léir di go bhfuil an fhoraois álainn scriosta scáinte. Croí Niuniu go mór faoi néal.

"Ní hionann éin an duaircis a bheith ag eitilt os do chionn," arsa Daideo, "agus ligean dóibh neadacha a thógáil i do ghruaigse." Agus leathnaíonn miongháire ar bhéal an tseanóra. Déanann Niuniu a ceann a thochas agus breathnaíonn sí ar a seanathair ag ardú cloch den talamh.

Ardaíonn sé méid beag cré agus rianaíonn an comhartha 'crann' ar dhromchla na cloiche. Anois, cuireann Niuniu comhartha an chrainn ina cuimhne. Dhá chomhartha anois aici, más ea: an comhartha 'iasc' agus an comhartha 'crann'. Dhá chloch. Cuireann sí na clocha go sábháilte ina ciarsúr agus luíonn isteach faoi chuilt chompordach ar an talamh. Titeann sí ina codladh láithreach agus tosaíonn ag brionglóideach. Agus, ina brionglóid di, samhlaíonn sí gile airgid na n-iasc, agus éin á neadú ina gruaig, agus compord chístí na gealaí ar a craiceann.

Codlaíonn Niuniu go mór maith suaimhneach nó go ndúisíonn sí arís go moch ar maidin. Ar aghaidh leo ó dheas.

Ach tá an scrobarnach tiubh téagartha agus níl sé éasca dóibh a slí a dhéanamh. Téann leathchos Niuniu i bhfastó i rútaí an bhambú agus titeann sí. Ní túisce ar an talamh í nó feiceann sí dhá shúil lasánta ag breathnú anuas uirthi. Súile choileáin tíogair agus súile Niuniu faoi bhriocht ar a chéile.

"Ná corraigh, a chroí," arsa Daideo. "Ní fada uainn an mháthair, ní foláir."

Fanann siad tamall maith gan chor, iad gan gíog ná míog astu. Ach tá cos Niuniu i bhfastó i rútaí an bhambú i gcónaí agus tá sí ag éirí níos míchompordaí. Déanann sí iarracht éirí ach, leis sin, titeann sí ar leataobh agus briseann an bambú de smeach. Breathnaíonn súile móra an choileáin uirthi agus ligeann an t-ainmhí osna as. Is mór an faoiseamh dóibh é nach bhfuil an mháthair le cloisteáil áit ar bith. Fanann siad go ceann i bhfad, ansin tuigeann siad go bhfuil an coileán ina aonar agus go bhfuil siad slán.

Ní fada nó go dtuigeann siad an scéal go hiomlán. Tá rian sealgairí fíochmhara ar fud na háite. Bambúnna briste, féar satailte agus comharthaí eile a thugann le fios go raibh daoine gan mhaith san áit. Ar deireadh, tagann siad go háit a bhfuil mórchuid fola spréite ar an bhféar – fuil na máthar, is dóichí. Fuil! An mháthair! Í imithe! Í marbh!

An oíche sin, suíonn siad go ciúin cois tine. Niuniu ina ciúin, Daideo ina chiúin. Tá siad ag breathnú ar na lasracha atá ag damhsa agus ag ealaín le haer na hoíche. Samhlaíonn Niuniu gurb é atá sna lasracha ná stríocaí dubha agus oráiste na máthar tíogair. Tá cóta an ainmhí ag glioscarnach faoin solas agus tá súile an tíogair lán de mhisneach, lán de bhród, lán den uaisleacht. Sea, misneach, bród, uaisleacht. Agus breathnaíonn Niuniu go ceann i bhfad nó go dtagann a codladh uirthi.

Ar deireadh, níl fágtha ach na haibhleoga fanna. Ardaíonn Daideo cloch bhreá mhín ina dheasóg. Sa leathlámh eile, ardaíonn sé píosa d'adhmad dubh-ghualaithe. Ansin, le duibhe an adhmaid, rianaíonn sé an comhartha 'tíogar' ar an gcloch.

Nuair a dhúisíonn Niuniu ar maidin, tá cloch an tíogair fáiscthe sa leathlámh aici.

"Déanaimís rud éigin spreagúil inniu, a Niuniu," arsa Daideo. "Téimis isteach sa bhaile féachaint céard iad na hiontais atá ar díol ann."

Dhá uair an chloig ina dhiaidh sin agus tá siad i lár an bhaile. Tá an meascán de ghleo agus de dhathanna ina ghirle guairle ina n-intinní. Agus ní tada sin i gcomparáid le fuilibiliú na gcloigíní rothar atá ag déanamh ghliogarglagar gan stad.

"Ó, b'aoibhinn le Mamaí an baile seo dá bhfeicfeadh sí é," arsa Niuniu.

"Sea, b'aoibhinn, déarfainn," arsa Daideo. "Bhuel, céard déarfá dá n-aimseoimis bronntanas deas di ann?"

Agus, leis sin, téann siad féachaint céard tá ar na seastáin. Feiceann Niuniu leabhar gleoite a bhfuil grianghrafanna áille d'áiteanna i gcéin ann. Tá mórchuid leathanach sa leabhar agus focail iontacha ar gach aon cheann díobh. Tá a fhios ag Niuniu láithreach go dtaitneodh sin le Mamaí. Is focail agus íomhánna iad a sheolfadh intinn Mhamaí isteach in áiteanna iontacha aoibhne.

"Ó, ba bhreá le Mamaí sin," arsa Niuniu.

"Is cinnte go mba bhreá," arsa Daideo. Agus, leis sin, ardaíonn sé boiscín beag atá fite de ghiolcaí agus tugann do Niuniu é. "Tá mé á cheannach seo duitse, a Niuniu, a stóirín," ar sé. "Boiscín beag ar féidir na clocha a choinneáil go sábháilte ann."

Níos déanaí an tráthnóna sin, seasann siad ar na bunchnoic taobh thiar den bhaile. Tá siad ag breathnú anuas ar an mbaile féin agus tá rudaí nach bhfuil go deas le feiceáil acu. Níl aon rian de na dathanna áille nó den draíocht aoibhinn a bhí le feiceáil níos luaithe sa tráthnóna. A mhalairt ar fad, faraor. Tá scamall tiubh de thoitcheo os cionn an bhaile. Toitcheo, sea! Agus ní hiad na seastáin sa mhargadh atá le feiceáil. Ní hea, go deimhin, ach díonta na monarchana agus simléar ar gach aon cheann díobh. Agus, as gach aon simléar díobh, tá gás nimhneach á sceitheadh amach san aer. An t-aer á lot. An tír á lot. An domhan á lot.

"Uaireanta, a Niuniu, a chroí," arsa Daideo, "tá gá le seasamh siar píosa chun rud a fheiceáil i gceart."

Breathnaíonn Niuniu suas ar Dhaideo.

"Uaireanta, a stór, táimid ró-thógtha le gáiréad an tsaoil seo. Go ró-mhinic, ní fheicimid an damáiste atá á dhéanamh don timpeallacht nádúrtha."

"Ach, a Dhaideo," arsa Niuniu, "tá postanna á gcur ar fáil sna monarchana, nach bhfuil? Caithfidh go bhfuil sin go maith don tír. Cuireann sin níos mó airgid ar fáil, nach gcuireann? Agus cabhraíonn sin leis an tír fás go tapa, nach gcabhraíonn?"

"Bhuel, cabhraíonn, ar ndóigh, ach … " agus stopann sé den chaint soicind. Tá a fhios ag Niuniu go bhfuil sé ag machnamh ar an méid a dúirt sí leis. Tá a fhios aici go bhfuil ceann eile dá sheanfhocail Síneacha ar bharr a theanga aige.

"Fás mall, ní dochar sin riamh," arsa Daideo go smaointeach. "Sea, ní hann ach don dá dochar, go deimhin. Is iad sin gan fás ar chor ar bith nó fás go ró-thapa ar fad." Agus aithníonn Niuniu gaois na bhfocal atá ráite ag an seanfhear.

Níos déanaí an oíche sin, tugann Daideo cloch eile fós do Niuniu. "Cuir sin isteach sa bhosca leis na clocha eile," ar sé.

Agus is é an comhartha atá ar an gcloch áirithe seo ná 'aer'.

Téann grian an lae sin faoi agus éiríonn grian úr ina diaidh. An tríú maidin. Seasann siad ar bharr chnoic agus breathnaíonn uathu ar mhám mór álainn atá thíos fúthu. Mám abhainn an Yangtze atá ann – an tríú abhainn is faide ar domhan.

"Ó, nach é atá iontach, álainn, dochreidte," arsa Niuniu go ríméadach

"Aha, ach fan nóiméidín, a chroí, go gcloise tú," arsa Daideo léi. "É iontach álainn dochreidte, gan aon dabht, ach tá doircheacht agus gránnacht ann chomh maith." Míníonn Daideo gur bádh milliún duine i dtuillte na habhann le céad bliain anuas.

"Ach anois," ar sé, "tá damba á thógáil a chuirfidh deireadh leis na tuillte."

Míníonn sé, chomh maith, mar a bheidh ar chumas longa ollmhóra an mám a thaistil. "Sea, beidh siad in ann turas 1,500 míle isteach fán tír a dhéanamh agus leictreachas a chur ar fáil ann," ar sé.

Bhuel, b'iontach sin ar fad, a shíleann Niuniu di féin. Ach aithníonn sí rian an bhróin ar shúile Dhaideo.

"Ach cén fáth go bhfuil tú brónach, a Dhaideo?" a fhiafraíonn Niuniu.

"Bhuel," a deir an seanfhear, "ní mar a shíltear a bítear i gcónaí."

"Cén chaoi sin, a Dhaideo? Céard tá i gceist agat?"

"Is oth liom a rá, a thaisce, gur uafás don timpeallacht é. Uafás don chomhshaol."

Agus is léir do Niuniu gur mó fós é an brón atá ar aghaidh Dhaideo anois.

"Tá gá le taiscumar uisce a dhéanamh taobh thiar den damba," ar sé.

"Taiscumar, a Dhaideo! Céard é sin?"

"Sea, taiscumar, a stór. Bosca ollmhór coincréideach ina gcoinneofar an t-uisce. Agus, cheana féin, tá níos mó ná aon mhilliún duine curtha as a bhfeirmeacha chun gur féidir an mám a líonadh le huisce. Ansin tiocfaidh an tionscalaíocht – meaisíní agus monarchana agus simléir agus deatach. Tá ár muintir féin i measc na ndaoine atá á gcur as seo. Iad uile á ruaigeadh go tailte nach bhfuil gar do bheith chomh torthúil leis an mám seo."

Aithníonn Niuniu ar aghaidh Dhaideo gur cúis mhór buartha é seo dó.

Tá cuma bhrónach ar Niuniu níos déanaí an oíche sin. "A Dhaideo," ar sí, "cén fáth ar an turas seo go dtaispeánann tú rud álainn dom, ansin léiríonn tú uafás éigin a bheith bainteach leis?"

"A stór mo chroí, nach tú atá cliste! Nach agat atá an ghaois cheana féin! Is dóigh liom go dtuigeann tú anois an fáth gur tháinig muid ar an turas seo," arsa Daideo, agus breathnaíonn sé go bródúil ar Niuniu soicind. "Ach, seo-seo," ar sé, "dóthain ceisteanna. Tá tuirse orm anois." Agus, arís eile, tá a fhios ag Niuniu go bhfuil Daideo ar tí ceann dá sheanfhocail Síneacha a rá.

"Is ionann leabhar i do phóca agat agus gairdín a bheith os do chomhair. Léigh leat, a stóirín, agus lig domsa codladh a dhéanamh, maith an cailín."

"Ach, a Dhaideo," ar sí, "nach fíor gur fearr aon chomhrá amháin le duine gaoismhear ná míle leabhar a léamh?"

Caitheann an seanfhear siar a chloigeann agus déanann gáire. Ní bhacann sé le codladh anois agus, ina áit, déanann siad comhrá fada. Am éigin idir dhoircheacht na hoíche agus éirí na gréine, titeann Niuniu ina codladh go sámh. Téann Daideo go boiscín Niuniu agus cuireann sé cloch eile fós isteach ann. Ar an gceann seo tá an comhartha 'abhainn' scríofa.

Dhá lá a thógann sé orthu filleadh abhaile. Beireann Mamaí Niuniu barróga móra orthu beirt nuair a fheiceann sí iad. Is iontach é dul ar thuras draíochtúil, gan dabht, ach is iontaí fós é grá máthar ar fhilleadh abhaile duit.

Tá Niuniu ag faire ar Dhaideo roimh dhul a chodladh di an oíche sin. Tá seisean ag cur eagar ar na clocha go léir. Leagann sé amach iad, a n-aghaidheanna síos, ansin iompaíonn sé suas arís iad, ceann ar cheann. Tá sé mar a bheadh dúcheist á réiteach aige. Buaileann an smaoineamh Niuniu den chéad uair go bhfuil draíocht éigin ag baint leis na clocha seo. Tuigeann sí, ar bhealach éigin, gur draíocht í a nochtófar di sula i bhfad. Sea, in imeacht ama a nochtófar an draíocht sin ach an duine a bheith foighneach. Tagann miongháire ar a béal nuair a chuimhníonn sí arís ar ghaois Dhaideo. 'Am agus foighne a dhéanann gúna geal síoda den duilleog mhaoildearg …'

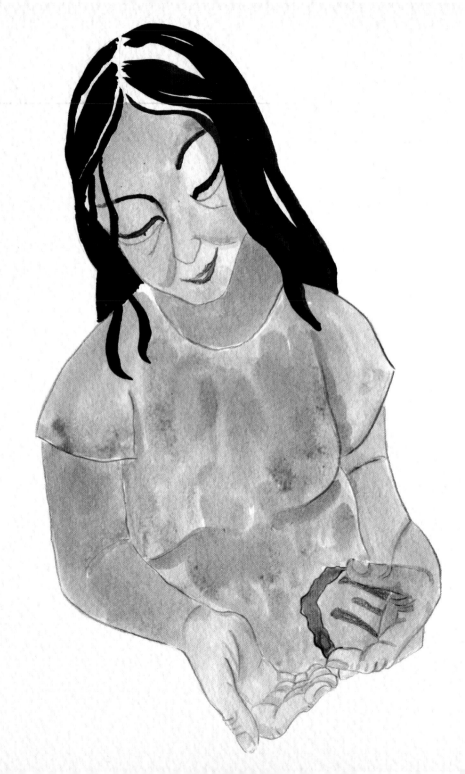

Imíonn na míonna agus is beag smaoineamh a dhéanann Niuniu ar na clocha. Is aisteach é, ach tagann siad isteach go láidir ina cuimhne agus í ar a bealach abhaile ón scoil lá. Gan súil ná coinne leis a thagann an chuimhne chuici. Nuair a shroicheann sí baile tá Mamaí roimpi sa chistin agus deora a cinn á gcaoineadh aici. Breathnaíonn Niuniu i súile a Mamaí agus tuigeann sí fáth an ghoil sin láithreach: tá Daideo básaithe.

"Táimid gan mhaith gan é," arsa Niuniu fána hanáil, agus ní féidir léi deoir a shileadh toisc tocht na cailliúna atá uirthi. "Tá sé imithe uainn agus is boichte sinn uile. Gaois imithe, gean imithe, glór imithe. Níl aon rud fágtha againn."

Ritheann Niuniu go dtí a seomra agus aimsíonn sí an boiscín. Tógann sí amach na clocha, ceann ar cheann. Is ansin a thagann na deora chun na súile uirthi. Don chéad uair riamh, tugann sí faoi deara go bhfuil marc nua ar gach aon chloch - marc ar an taobh sin nach raibh aon mharc air go dtí seo. Cuidíonn Mamaí léi na clocha a leagan amach. Cuireann siad na taobhanna úd a bhfuil na marcanna nua orthu ag breathnú aníos orthu. Luíonn na clocha isteach go deas dlúth ar a chéile, iad mar a bheadh tangram Síneach ann. Anois, nuair a bhreathnaíonn Niuniu ar iomlán na gcomharthaí go léir curtha le chéile, feiceann sí aon chomhartha mór amháin nach dtuigeann sí.

"Is é a deireann sé, a Niuniu, a stór," arsa Mamaí,
ná 'Déan an Timpeallacht a Shábháil'." Is léir ar Mhamaí
go bhfuil iontas uirthi go dtuigeann sí féin é. Ach, ina croí
istigh, tá a fhios aici cad as a bhfuil an ghaois seo ag teacht
chuici. Tá a fhios ag Niuniu cad as a bhfuil an ghaois ag
teacht chomh maith. Láithreach bonn cuimhníonn Niuniu
ar fhocail ghaoismheara a bhíodh ag Daideo: 'Is ionann saol
an pháiste agus bileog ar a bhfágann gach aon duine marc'.

"Is cinnte, a Niuniu, go bhfuil rud fágtha ag Daideo
duit," arsa Mamaí, agus fáisceann sí a hiníon chuici. "Tá tasc
mór tábhachtach fágtha aige duit." Agus, den dara huair,
breathnaíonn an bheirt acu – iníon agus máthair, máthair
agus iníon – ar íomhá mhór na gcloch atá os a gcomhar.
Is ansin a thuigeann Niuniu fáth an turais a rinne Daideo
léi. Bhí tábhacht le gach aon chéim a tógadh agus le gach
aon fhocal a dúirt Daideo le Niuniu. Bhí tábhacht leo le go
dtuigfeadh Niuniu práinn an taisc atá le déanamh.
'An Timpeallacht a Shábháil', a chloiseann sí ina mhacalla
istigh ina hintinn. Bhronn an seanfhear gaois, bhronn sé
eolas, bhronn sé dualgas ar a ghariníon.

"An Timpeallacht a Shábháil," arsa Niuniu, agus
tuigeann sí gur uirthise anois atá an dualgas an iarracht sin
a dhéanamh.